2

全彩图

四五快算

比大小 5以内加减法

韩国英才创意学校 编著
叶晓莹 译

快乐启蒙·幼儿阶梯式数学

导读

从最简单的5以内的加减法开始学习算数
让孩子从四五岁开始爱上算数

1 激发兴趣，寓教于乐

儿童学习能力强。刚开始接触数学时，需要激发他们的兴趣，满足他们的好奇心，这样学习效果才会好。本书运用可爱的漫画形象与缤纷的色彩，使儿童产生浓厚的学习兴趣，帮助儿童打好数学学习基础。

2 根据能力安排学习内容

本丛书难度适中，第1册适合3~4岁幼儿，直至第8册适合入学年龄的儿童，符合儿童的学习需求，让孩子边解题边思考，边动手边学习。

3 在充分学习的基础上进行复习

到底怎样才能让孩子学好呢？俗话说“温故而知新”，学习中不可或缺的环节之一就是复习。好奇心强的儿童往往因为对新的学习内容更感兴趣而忽视了复习，本丛书贯彻复习原则，帮助孩子更好地巩固学习内容。

快乐启蒙·幼儿阶梯式数学——
四五快算

根据儿童的年龄与学习能力，本丛书共分为8册。书中配有迷宫、图案、推理等简单有趣的游戏内容，极大地激发儿童的学习热情。本丛书包括学龄前儿童（3~6岁）入学前需要接触的数学知识，内容丰富，创意十足，非常适合作为学龄前儿童的数学启蒙教材。

构成与特征:

（1）通过连线、比较、配对、对比各种图形等方式培养儿童的数学思维方式。结合图画学习1~10的数。

（2）学习个数、大小数、序数、中间数，理解个数与序数的关系。掌握5以内的加减法。

（3）通过序数与增减来掌握一位数的加减法。能够准确读出并运用30以内的序数。通过比较数的大小巩固对数的认识。

（4）对数学的基础知识与原理的进一步理解能让判断力得到进一步发展。本册将以20~50范围内的加减法为基础进行更为深入的数学学习。

（5）认识100以内的序数，掌握无进位的两位数加减法。

（6）提高计算能力，掌握无进退位的加减法并以此为基础学习10的补数，反复练习，掌握进退位。

（7）理解余数的概念，学会列出加减法等式，掌握3个数的加减法。

（8）以小学一年级数学教材为基础，让孩子消除对数学的恐惧感，增强自信心。

日期：　　月　　日

画线

优秀　良好　一般

◎请沿虚线从▲到●连线。

日期：　　月　　日

画线

优秀 良好 一般

◎请沿虚线从▲到●连线。

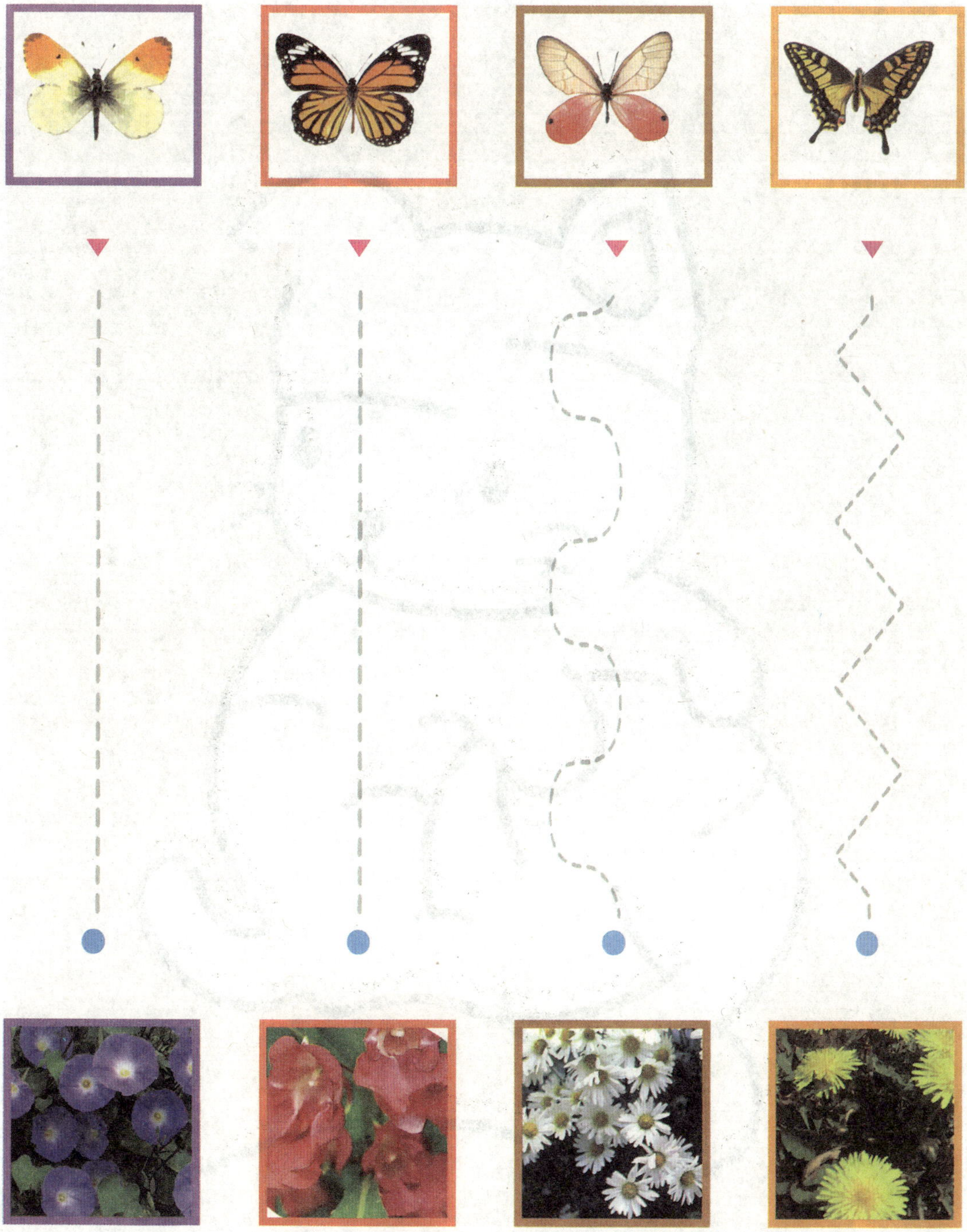

日期：　　月　　日

走迷宫

优秀 良好 一般

◎请以➡为起点、★为终点找到走出迷宫的路线。注意路线不要间断。

连线

优秀　良好　一般

◎按照左图图形在右图中连线。

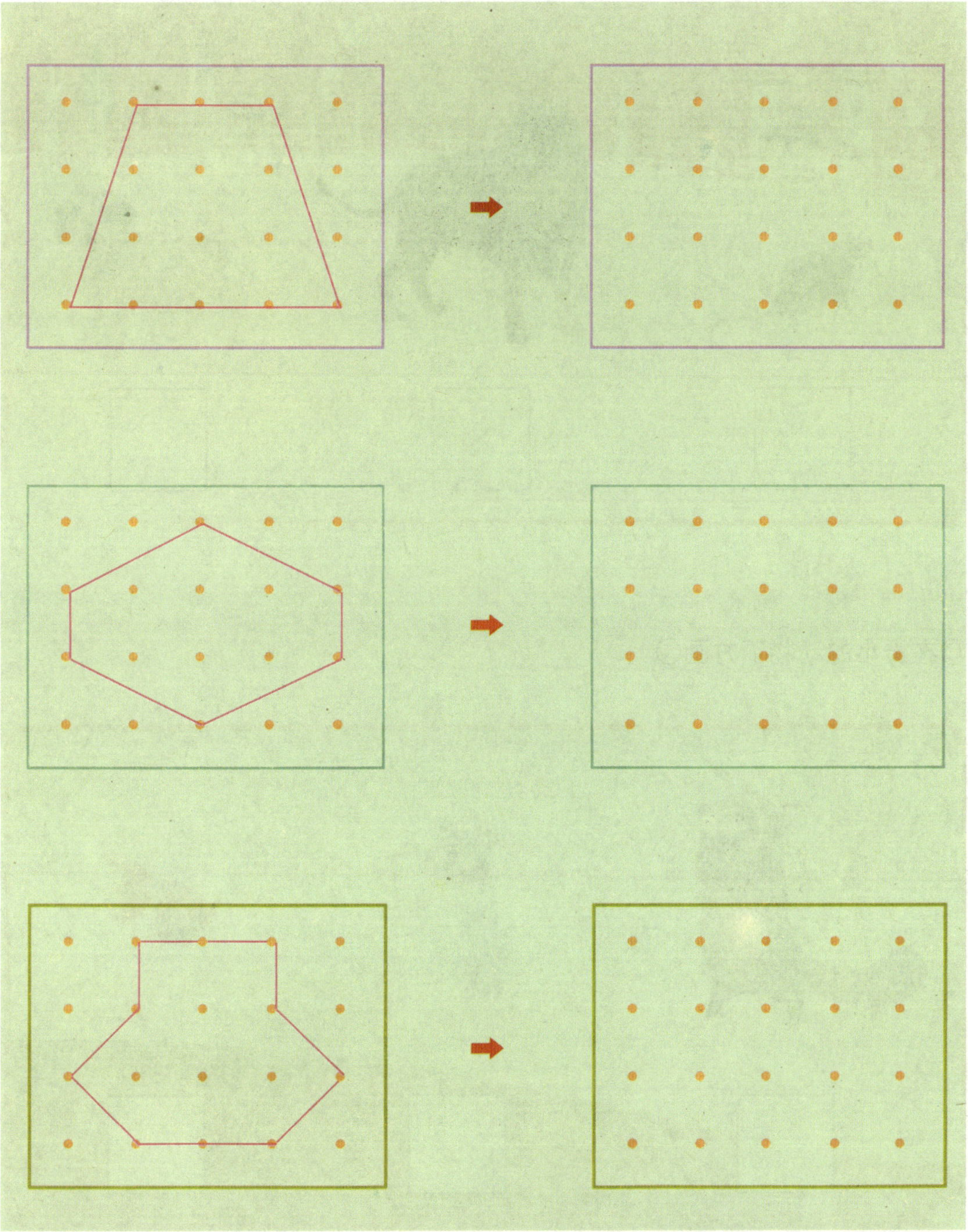

日期:　　　月　　　日

比一比

优秀　良好　一般

◎在最大的动物下方画○。

◎在最小的动物下方画○。

比一比

优秀 良好 一般

◎在最高的建筑下方画○。

◎在果汁最少的杯子下方画○。

日期：　　月　　日

比一比

优秀　良好　一般

◎在最短的海带上贴上  的贴纸。

日期：　　月　　日

比一比

优秀　良好　一般

◎请比较跷跷板上动物的重量，在最重的动物上画○。

日期：　　月　　日

比一比

优秀 良好 一般

◎请比较跷跷板上动物的重量，在最重的动物上画○。

日期： 月 日

配对

优秀 良好 一般

◎请将下列有关联的动物连接起来。

日期：　　月　　日

配对

优秀 | 良好 | 一般

◎请将图片与对应的数连接起来。

 · · 1

 · · 2

 · · 3

 · · 4

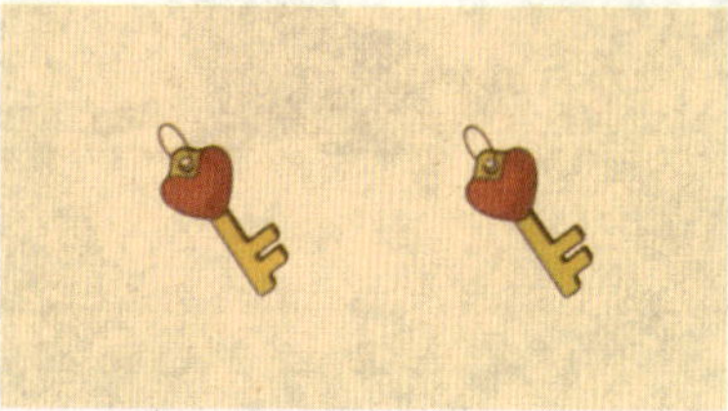 · · 5

配对

优秀　良好　一般

◎请将物品个数相同的图片连接起来。

日期：　　月　　日

数一数

优秀　良好　一般

◎请数出下图中各物的数量，并给相应个数的○涂上颜色。

数一数

优秀　良好　一般

◎请数出下图中小方块的数量，并在右边的方框中贴上相应的数字贴纸。

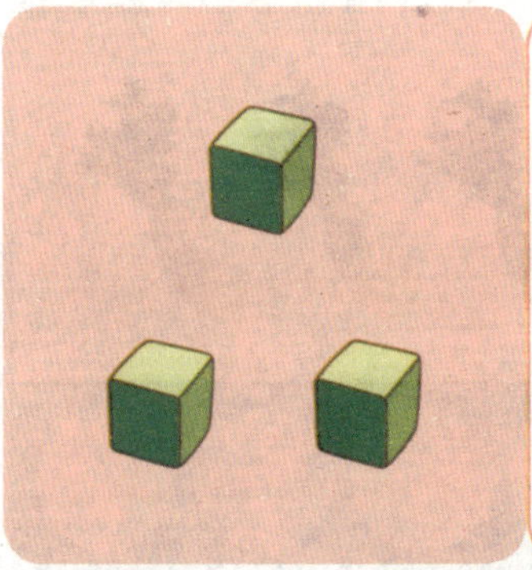

3

日期： 月 日

数一数

优秀 良好 一般

◎请数出下图中蔬果的数量，并给比蔬果个数多 1 的○涂上颜色。

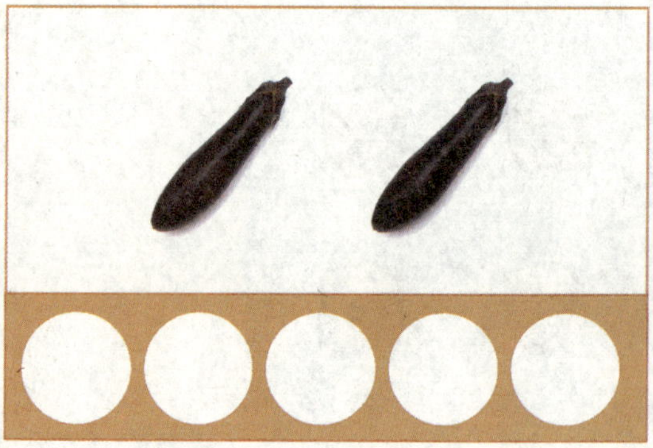

日期：　　月　　日

数一数

优秀　良好　一般

◎请数出下图中动物的数量，并圈出正确的答案。

1　2　3　4　5

1　2　3　4　5

1　2　3　4　5

1　2　3　4　5

1　2　3　4　5

1　2　3　4　5

日期：　　月　　日

熟悉 1 ~ 10

优秀 良好 一般

◎请正确写出 1~4。

一 ●	二 ●●	三 ●●●	四 ●●●●
1	2	3	4
1	2	3	4
1	2	3	4

◎请用直线连接物品数量相同的图片。

熟悉 1 ~ 10

优秀 ⋮ 良好 ⋮ 一般

◎请正确写出 2~5。

二 ●●	三 ●●●	四 ●●●●	五 ●●●●●
2	3	4	5
2	3	4	5
2	3	4	5

◎请数出下图中鸟类的数量，并在空白处贴上相应个数的  贴纸。

日期：　　月　　日

熟悉 1 ~ 10

优秀 良好 一般

◎请正确写出 3~6。

三 ●●●	四 ●●●●	五 ●●●●●	六 ●●●●●●
3	4	5	6
3	4	5	6
3	4	5	6

◎请数出下图中物体的数量，圈出物体数量与左边数相等的图片。

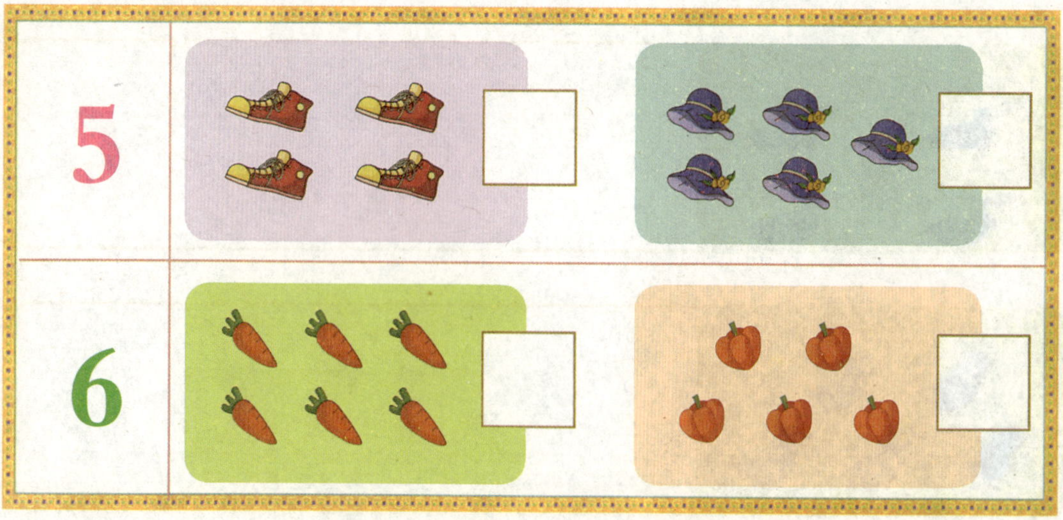

熟悉 1 ~ 10

优秀　良好　一般

◎请正确写出 4~7。

四 ●●●●	五 ●●●●●	六 ●●●●●●	七 ●●●●●●●
4	5	6	7
4	5	6	7
4	5	6	7

◎请数出下图中球体的个数，并将正确的答案写在方框内。

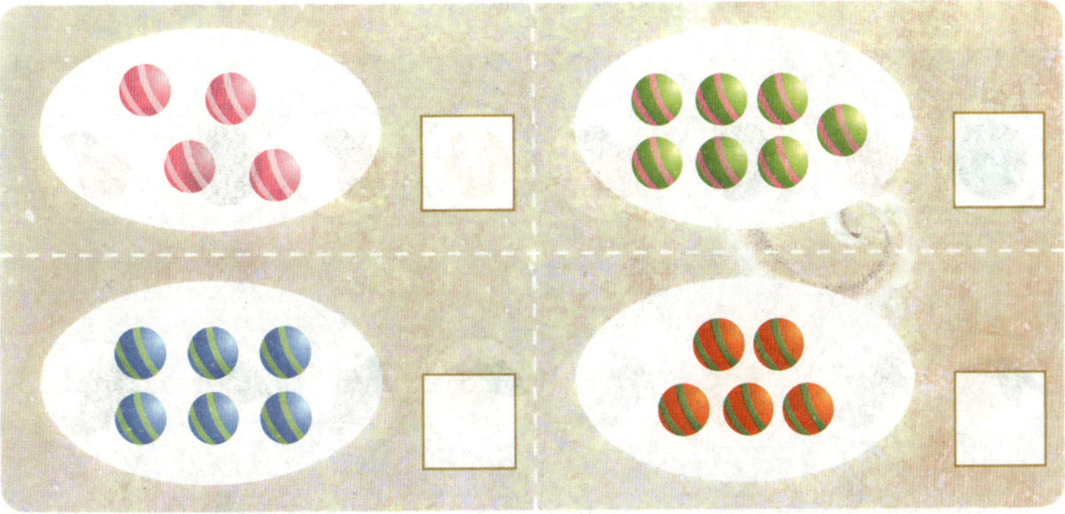

日期：　　月　　日

熟悉 1 ~ 10

优秀 良好 一般

◎请正确写出 5~8。

五	六	七	八
5	6	7	8
5	6	7	8
5	6	7	8

◎找规律，在 ? 处贴上正确的贴纸。

日期：　　月　　日

熟悉 1 ~ 10

优秀　良好　一般

◎请正确写出 6~9。

六	七		九
6	7	8	9
6	7	8	9
6	7	8	9

◎请将下列数与对应的图片连接起来。

7　　8　　9

日期：　　月　　日

熟悉 1 ~ 10

优秀 ⋮ 良好 ⋮ 一般

◎请正确写出 7~10。

七	八	九	十
7	8	9	10
7	8	9	10
7	8	9	10

◎请数出下图中物体的个数，并将图片与对应的数连接起来。

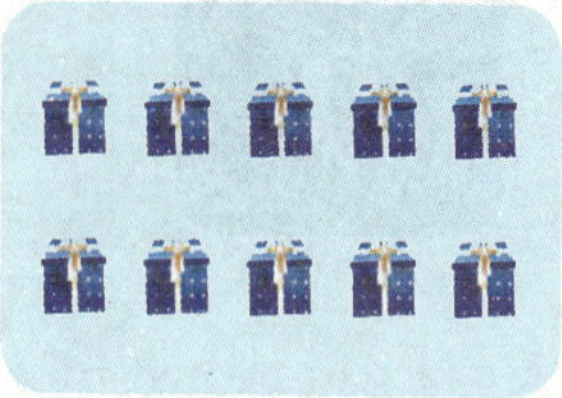

9

10

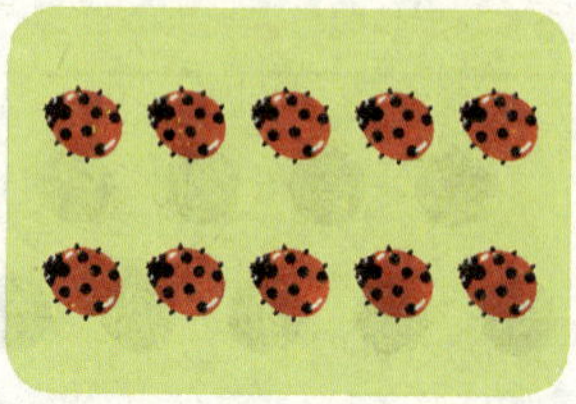

找不同

优秀　良好　一般

◎请比较左右两图，并在图片中找出两组图片的不同之处。

复习1～10

优秀　良好　一般

◎边读边写 1~5。

1	2	3	4	5
一·壹	二·贰	三·叁	四·肆	五·伍
1	2	3	4	5
1	2	3	4	5
1	2	3	4	5

◎请数出下图中物体的个数，并将图片与对应的数连接起来。

5

4

日期：　　月　　日

复习 1 ~ 10

优秀 | 良好 | 一般

◎边读边写 6~10。

6	7	8	9	10
六 · 陆	七 · 柒	八 · 捌	九 · 玖	十 · 拾
5	6	7	8	10
6	7	8	9	10
6	7	8	9	10

◎请数出下图中物体的个数，并贴上对应的数字贴纸。

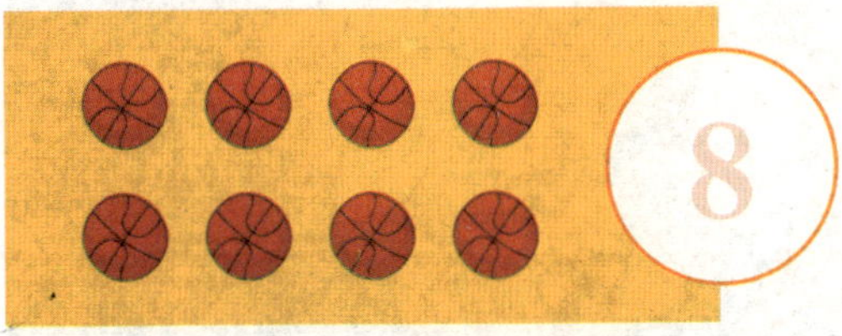

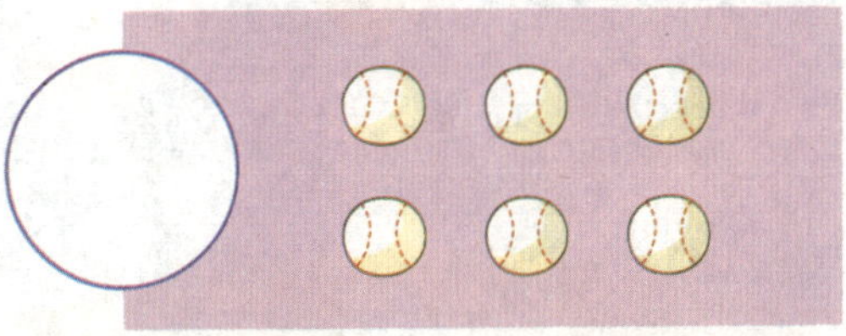

日期：　　月　　日

熟悉个数

优秀　良好　一般

◎鱿鱼的足上有数字，请按照数的顺序将正确的数字贴纸贴在□内。

日期：　　月　　日

熟悉个数

优秀 良好 一般

◎请圈出个数与其他两图不同的图片。

日期：　　月　　日

熟悉个数

优秀　良好　一般

◎数一数下图中胡乱摆放的衣物的数量，并圈出正确的答案。

1　2　3

3　4　5

7　8　9

4　5　6

日期：　　　月　　　日

熟悉个数

优秀　良好　一般

◎看图说故事，并将竹蓝中苹果的数量写在□内。

日期：　　月　　日

熟悉个数

优秀 良好 一般

◎请将物体个数相同的图片用直线连接起来。

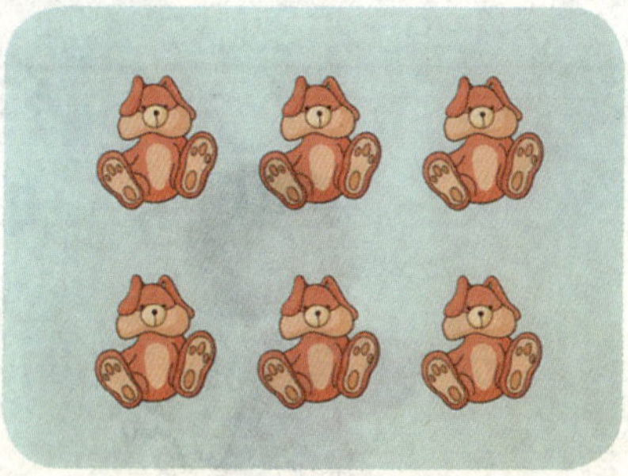

熟悉个数

优秀 | 良好 | 一般

◎请数出小鱼的数量，并圈出正确的答案。

熟悉个数

优秀 ⋮ 良好 ⋮ 一般

◎请分别数出树上每一种水果的数量，给相应个数的□涂上颜色，并圈出正确的答案。

						1　2　3　4　5
						1　2　3　4　5
						1　2　3　4　5
						1　2　3　4　5
						1　2　3　4　5
						1　2　3　4　5

日期： 月 日

熟悉个数

优秀 良好 一般

◎请数出下图中礼物盒的个数，并在○中写下正确的答案。

熟悉个数

优秀 良好 一般

◎仔细读图，在○中贴上正确的数字贴纸。

日期：　　月　　日

熟悉个数

优秀 ⋮ 良好 ⋮ 一般

◎按照数字提示，在□内贴上相应数量的贴纸。

3

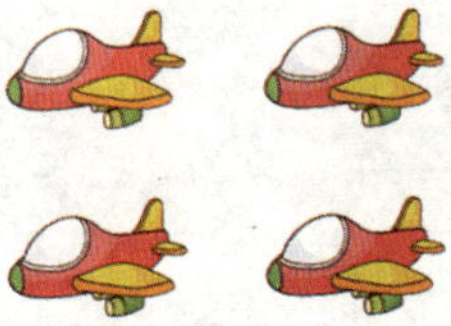

4

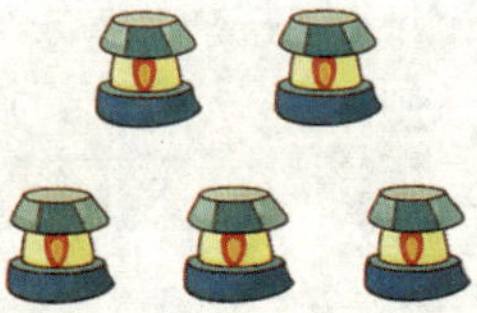

5

5

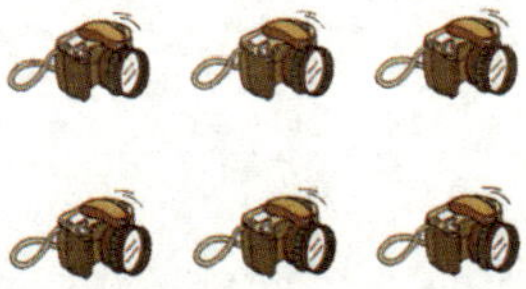

6

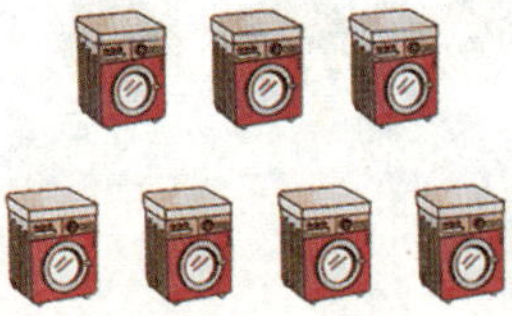

7

1

2

3

日期：　　　月　　　日

熟悉个数

优秀 | 良好 | 一般

◎请数出下图中物体的个数，并将图片与对应的数连接起来。

4

5

6

7

熟悉个数

优秀　良好　一般

◎请数出下图中物体的个数，并将图片与对应的数连接起来。

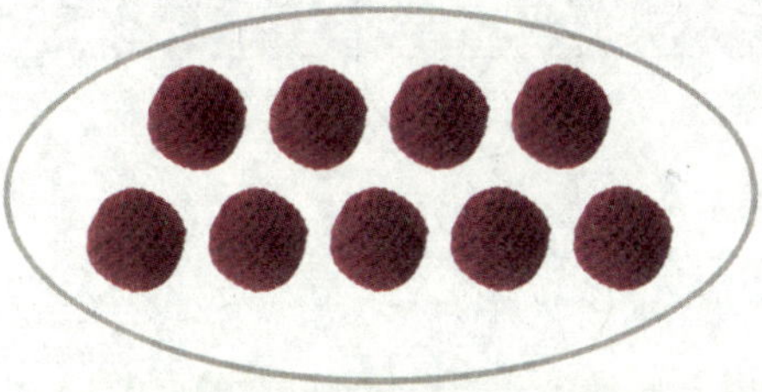

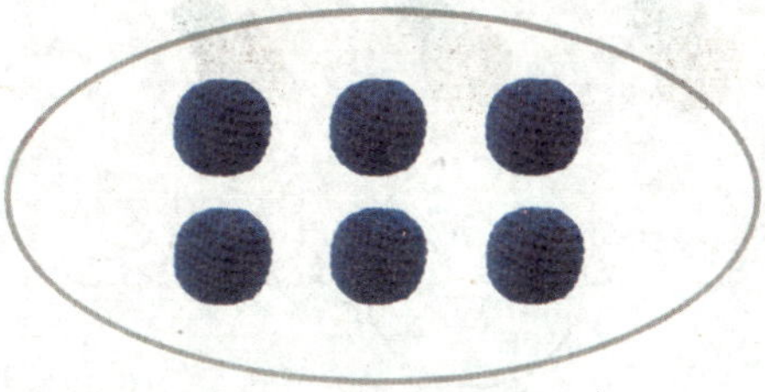

6

7

8

9

10

日期：　　月　　日

熟悉个数

优秀　良好　一般

◎请数出下图中物体的个数，并在○中写上正确的答案。

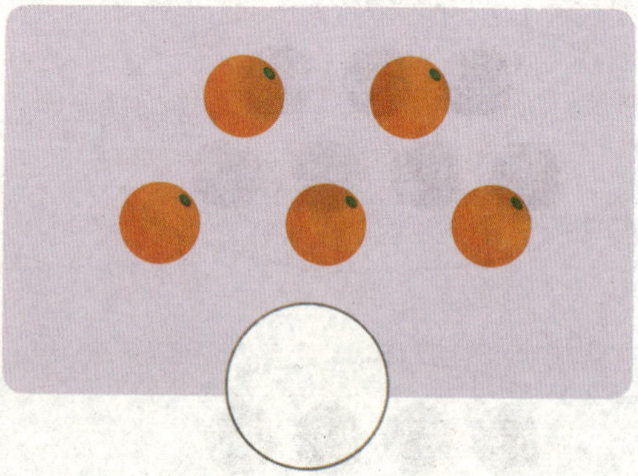

日期：　　月　　日

熟悉个数

优秀　良好　一般

◎请数出下图中物体的个数，并给相应个数的○涂上颜色。

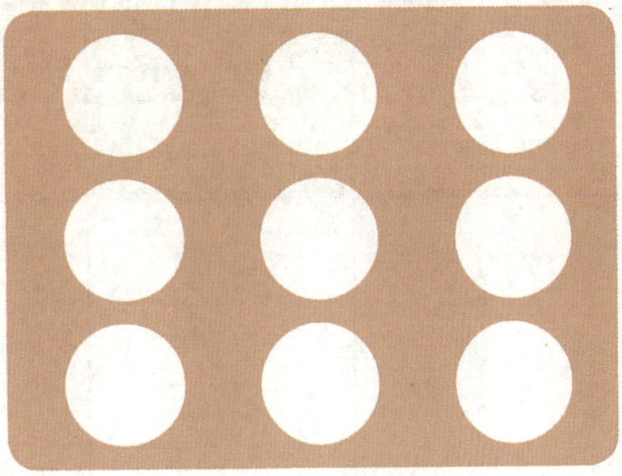

日期：　　月　　日

写写 1 ~ 5

优秀 ⋮ 良好 ⋮ 一般

◎边读边写 1~5。

一	二	三	四	五
1	2	3	4	5
1	2	3	4	5
1	2	3	4	5
1	2	3	4	5

写写 6 ~ 10

优秀　良好　一般

◎边读边写 6~10。

六	七	八	九	十
6	7	8	9	10
6	7	8	9	10
6	7	8	9	10
6	7	8	9	10

日期：　　月　　日

比较数的大小

优秀　良好　一般

◎比较左右两图中○的个数，并圈出○较多的图。

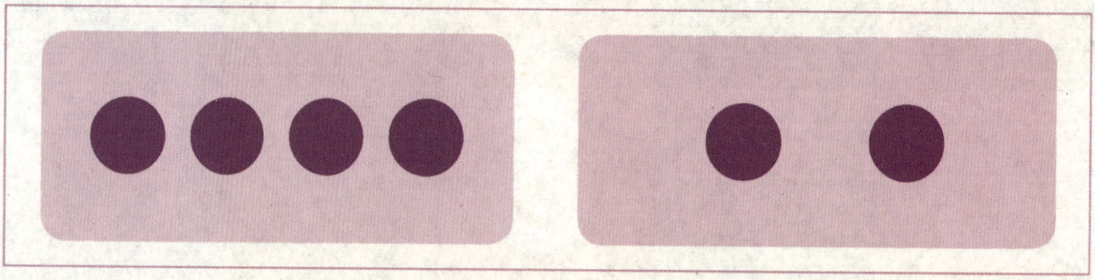

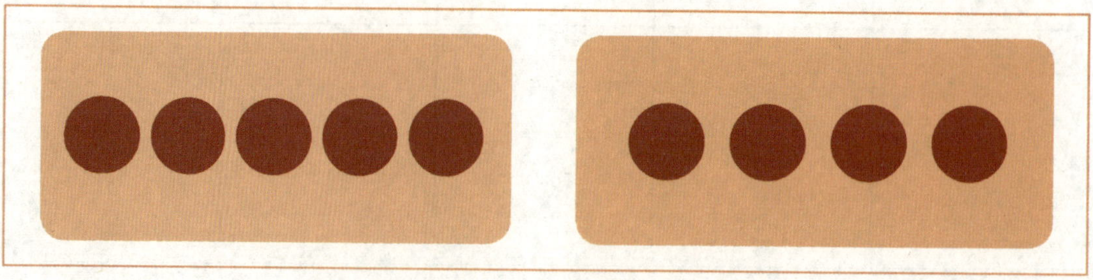

比较数的大小

优秀 良好 一般

◎在○中写出图中物体的数量，并在数较小的○中涂上颜色。

日期：　　月　　日

比较数的大小

优秀　良好　一般

◎朋友们准备去花田。请比较岔路口处两数大小，选择数较大的道路走。

日期：　　月　　日

比较数的大小

优秀　良好　一般

◎请数一数下图中物体的数量，在□中填上相应的数，并比较两数大小。

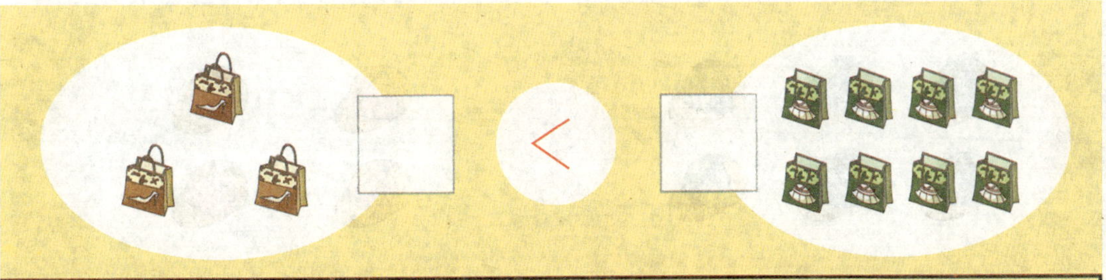

3 比 8 小。

5 等于 5。

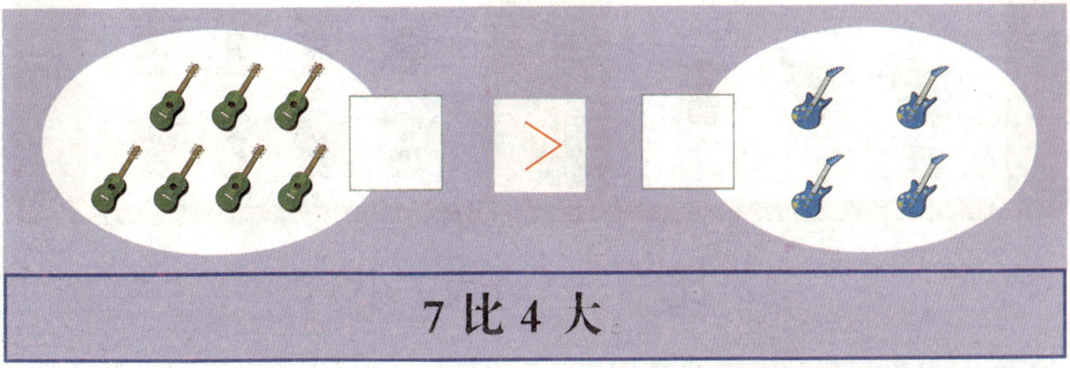

7 比 4 大。

日期：　　月　　日

比较数的大小

优秀　良好　一般

◎请数一数下图中物体的数量，在□中填上相应的数并比较两数大小，在“大／小”中选择正确的词语并圈出来。

□比□（大／小）。

□比□（大／小）。

□比□（大／小）。

比较数的大小

优秀　良好　一般

◎请数一数下图中物体的数量，在□中填上相应的数并比较两数大小，在“大／小”中选择正确的词语并圈出来。

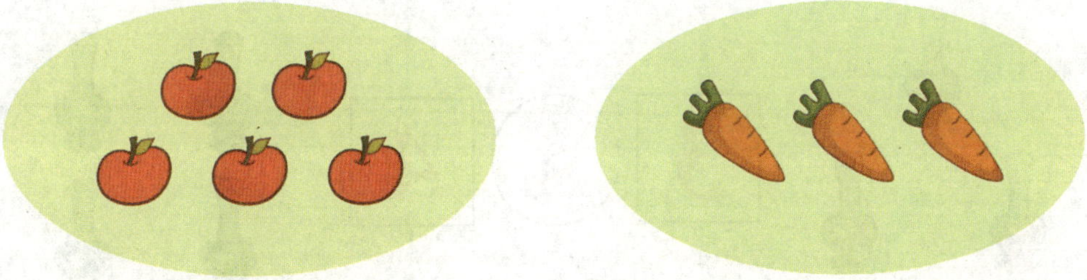

5 比 3 （大／小）。

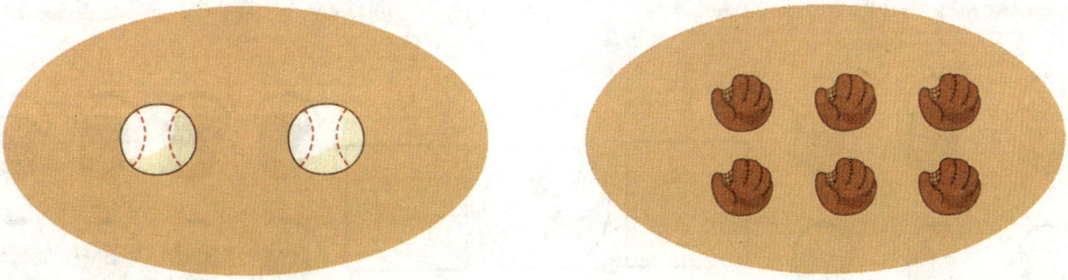

□ 比 □ （大／小）。

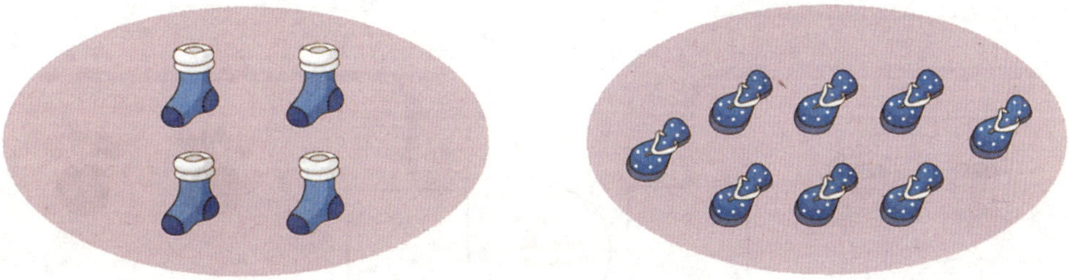

□ 比 □ （大／小）。

日期：　　月　　日

比较数的大小

优秀　良好　一般

◎请数一数图中物体的数量，在□中填上相应的数，并比较两数大小。

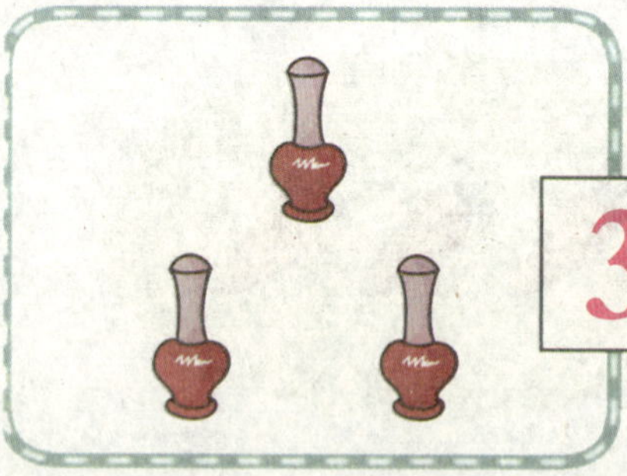

3 < 4

□ < □

□ = □

日期：　　月　　日

比较数的大小

优秀　良好　一般

◎请数一数下图中物体的数量，在□中填上相应的数，并比较两数大小。

□比□大。

□等于□。

□比□小。

日期：　　月　　日

分组与合并

优秀　良好　一般

◎请仔细读下图，将图中每组水果的数目写在□内。

日期： 月 日

分组与合并

优秀 良好 一般

◎请仔细读下图，将图中每组水果的数目写在□内。

日期：　　月　　日

分组与合并

优秀　良好　一般

◎请数出每幅图中物体数量的总和，再圈出每组物体的个数。

1	2	3
1	2	3

2	3	4
1	2	3

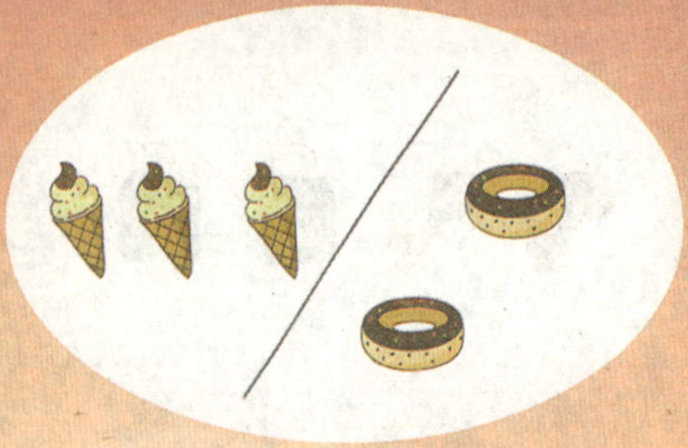

2	3	4
2	3	4

1	2	3
1	2	3

日期：　　　月　　　日

分组与合并

优秀　良好　一般

◎请仔细读下图，将图中每组球体分组后的数量写在□内。

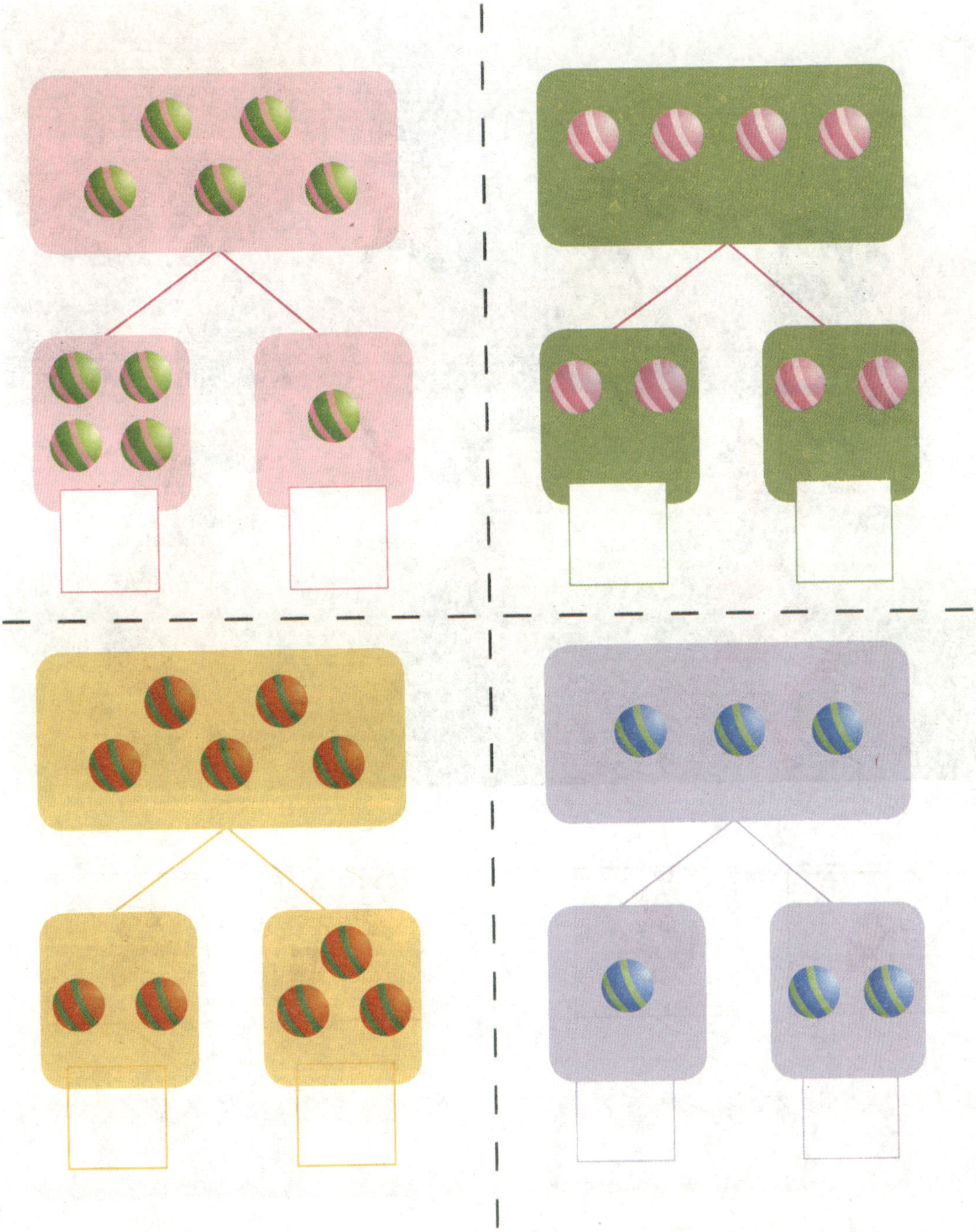

分组与合并

优秀 良好 一般

◎小朋友们正在愉快地跳舞，请根据每组图片中不同小朋友人数的总和在相应数目的○中涂上颜色。

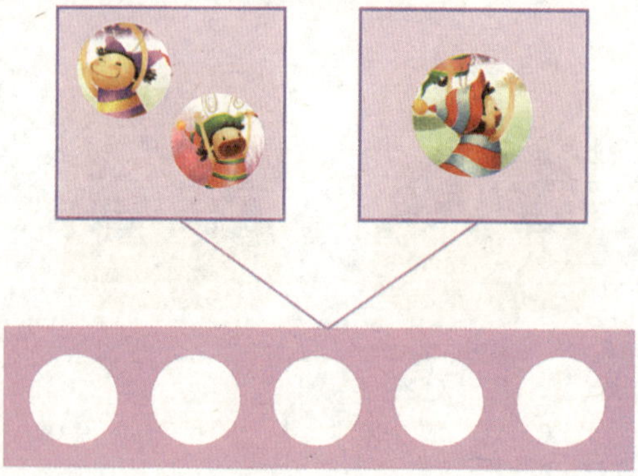

日期：　　月　　日

分组与合并

优秀　良好　一般

◎请圈出每组图中动物的个数，并将两组图片中的数相加，贴上对应的数字贴纸。

1	2	3
2	3	4

1	2	3
1	2	3

2	3	4
1	2	3

2	3	4
1	2	3

分组与合并

优秀　良好　一般

◎请根据每组图中动物的总和在相应数量的○内涂上颜色。

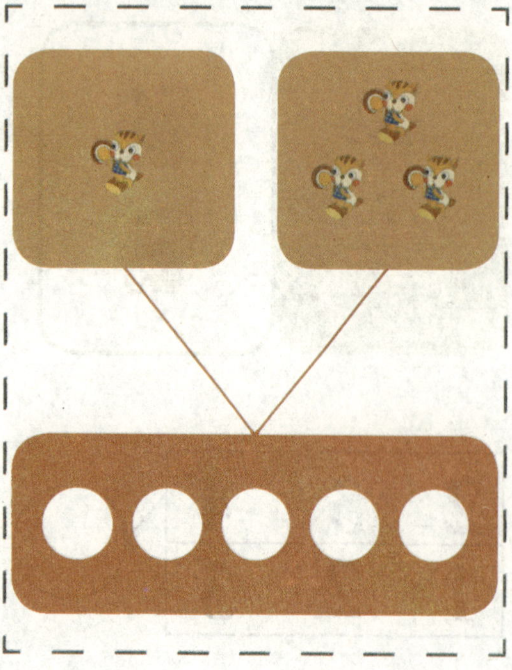

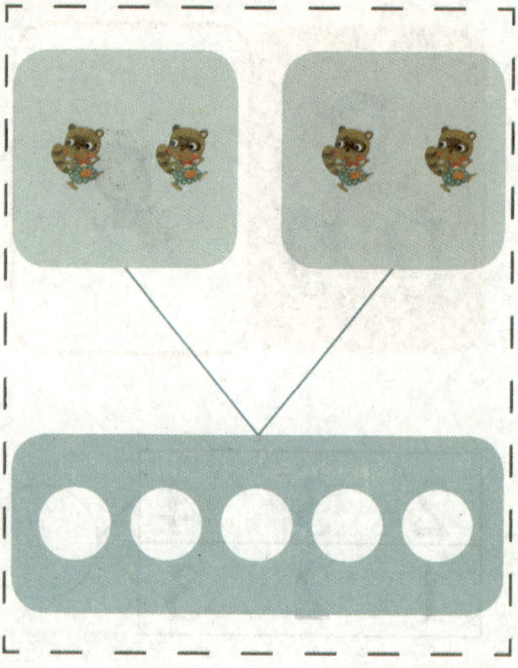

分组与合并

优秀　良好　一般

◎请将两种动物的个数相加，将正确的答案写在□内。

日期：　　月　　日

5 以内的加法

优秀　良好　一般

◎请在□内写上正确的答案。练习写“+”号。

1 ＋ 1 ＝ 2

2 ＋ 1 ＝ □

3 ＋ 1 ＝ □

＋	＋	＋	＋	＋
加号				

日期：　　月　　日

5 以内的加法

优秀 ⋮ 良好 ⋮ 一般

◎请仔细读下图，并在□内写下正确的答案。

1 ＋ 1 ＝ □

2 ＋ 1 ＝ □

3 ＋ 1 ＝ □

4 ＋ 1 ＝ □

日期: 月 日

5 以内的加法

优秀 良好 一般

◎运用加法，在□内写下正确的答案。

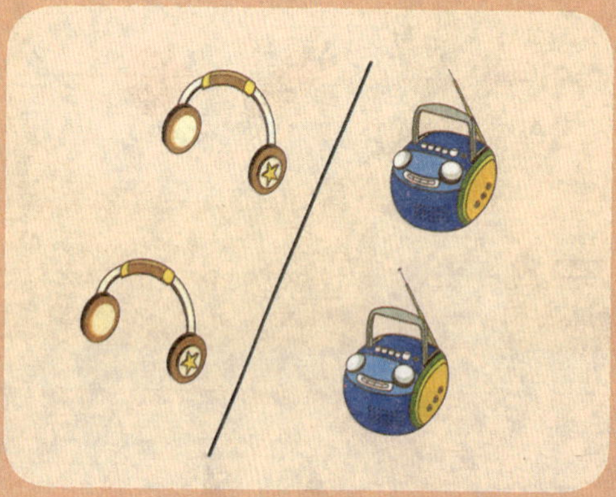

$2 + 2 = \square$

$2 + 1 = \square$

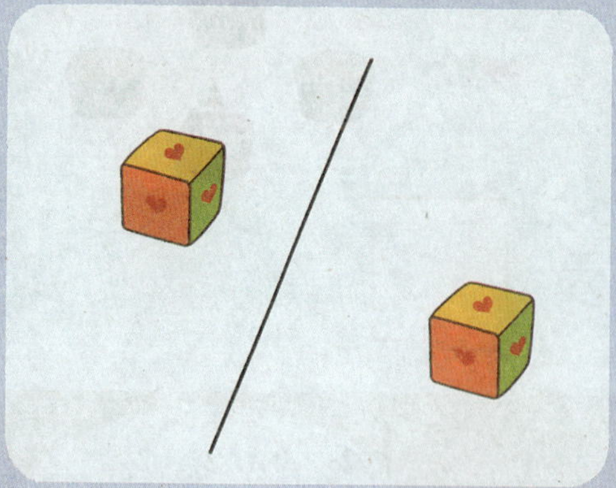

$1 + 1 = \square$

$3 + 1 = \square$

日期： 月 日

5 以内的加法

优秀 良好 一般

◎请运用加法，在□内写下正确的答案。

1 ＋ 1 ＝ □

3 ＋ 2 ＝ □

2 ＋ 1 ＝ □

3 ＋ 1 ＝ □

5 以内的加法

优秀　良好　一般

◎仔细读下图，在□内写下正确的答案。

$2 + 2 = \square$

$3 + 1 = \square$

$1 + 1 = \square$

$4 + 1 = \square$

日期：　　月　　日

5 以内的加法

优秀 ⁝ 良好 ⁝ 一般

◎仔细读下图，在□内写下正确的答案。

$2 + 2 = \boxed{4}$

$4 + 1 = \square$

$3 + 2 = \square$

5以内的加法

优秀　良好　一般

◎运用加法，在□内写下正确的答案。

1 ＋ 1 ＝ 2

2 ＋ 2 ＝ □

2 ＋ 1 ＝ □

2 ＋ 3 ＝ □

3 ＋ 2 ＝ □

4 ＋ 0 ＝ □

2 ＋ 2 ＝ □

3 ＋ 1 ＝ □

$$\begin{array}{r} 4 \\ +\ 1 \\ \hline \square \end{array} \qquad \begin{array}{r} 3 \\ +\ 1 \\ \hline \square \end{array} \qquad \begin{array}{r} 1 \\ +\ 2 \\ \hline \square \end{array} \qquad \begin{array}{r} 5 \\ +\ 0 \\ \hline \square \end{array}$$

5以内的加法

优秀 ⋮ 良好 ⋮ 一般

◎运用加法，在□内写下正确的答案。

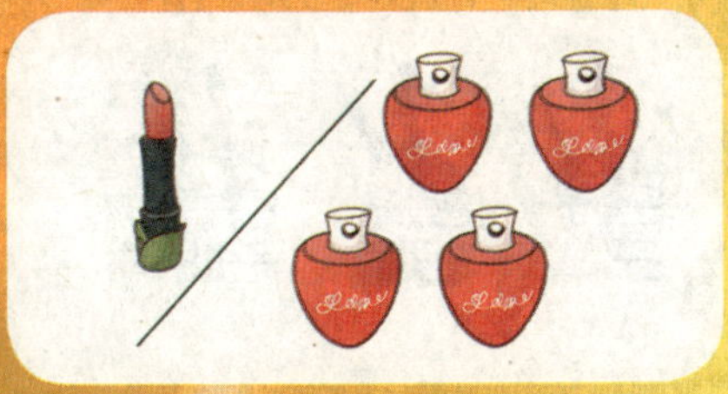

$1 + 4 = $ 5

$2 + 1 = $ □

$1 + 2 = $ □

$2 + 3 = $ □

$5 + 0 = $ □

$4 + 0 = $ □

$1 + 1 = $ □

$3 + 1 = $ □

$$\begin{array}{r} 2 \\ +\ 2 \\ \hline \square \end{array} \qquad \begin{array}{r} 4 \\ +\ 1 \\ \hline \square \end{array} \qquad \begin{array}{r} 3 \\ +\ 2 \\ \hline \square \end{array} \qquad \begin{array}{r} 1 \\ +\ 3 \\ \hline \square \end{array}$$

日期： 月 日

5 以内的减法

优秀 良好 一般

◎请圈出比图中物体个数小 1 的数。

1 2 3 4 5

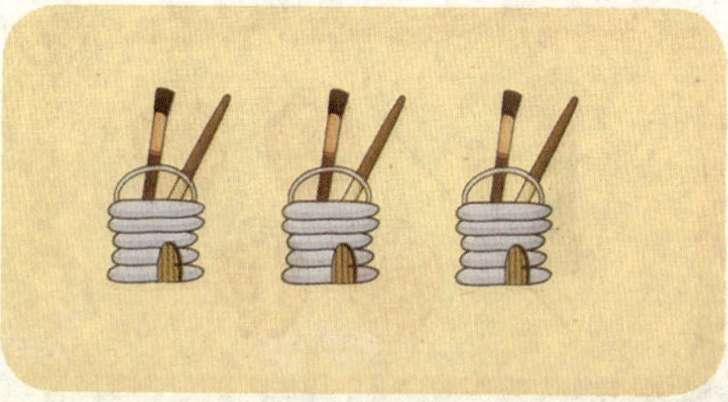

1 2 3 4 5

1 2 3 4 5

1 2 3 4 5

1 2 3 4 5

1 2 3 4 5

日期：　　月　　日

5 以内的减法

优秀 良好 一般

◎请圈出比图中物体个数小 1 的数。

1 2 3 4 5

1 2 3 4 5

1 2 3 4 5

1 2 3 4 5

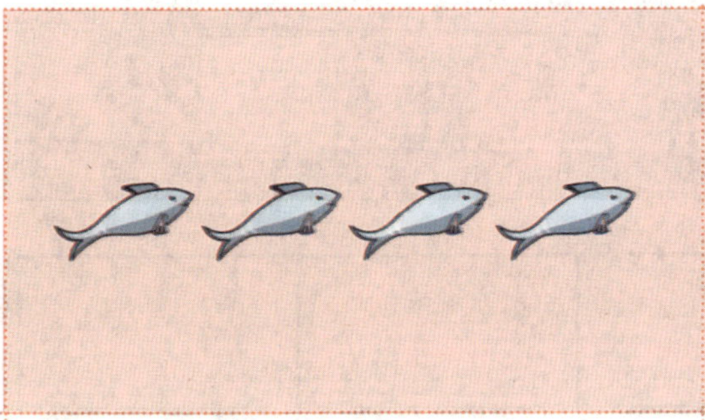

1 2 3 4 5

1 2 3 4 5

日期： 月 日

5 以内的减法

优秀 良好 一般

◎请在□内写下正确的答案。练习写“—”号。

$2 - 1$ □

$3 - 1$ □

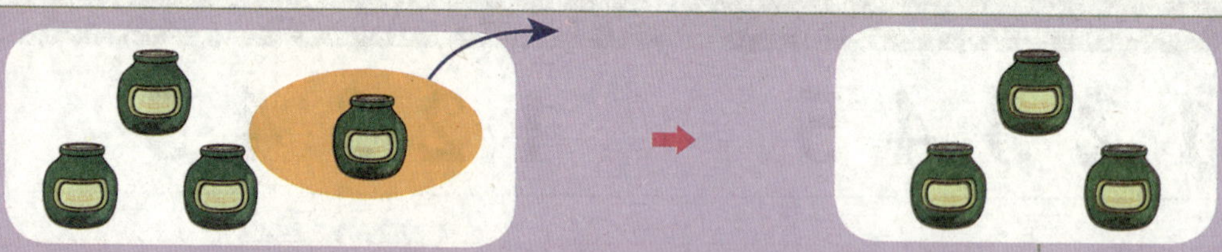

$4 - 1$ □

—	—	—	—	—
减号				

日期： 月 日

5 以内的减法

优秀 良好 一般

◎仔细读下图，在□内写下正确的答案。

2 — 1 = □

3 — 1 = □

4 — 2 = □

日期：　　月　　日

5 以内的减法

优秀 ⋮ 良好 ⋮ 一般

◎仔细读下图，在□内写下正确的答案。

3 － 2 ＝ □

5 － 1 ＝ □

3 － 1 ＝ □

4 － 1 ＝ □

日期： 月 日

5 以内的减法

优秀 良好 一般

◎仔细读下图，在□内写下正确的答案。

5 － 3 ＝ □

2 － 1 ＝ □

4 － 1 ＝ □

日期：　　月　　日

5以内的减法

优秀 良好 一般

◎仔细读下图，在□内写下正确的答案。

3 － 1 ＝ □

3 － 2 ＝ □

4 － 3 ＝ □

5以内的减法

优秀 ⋮ 良好 ⋮ 一般

◎仔细读下图，在□内写下正确的答案。

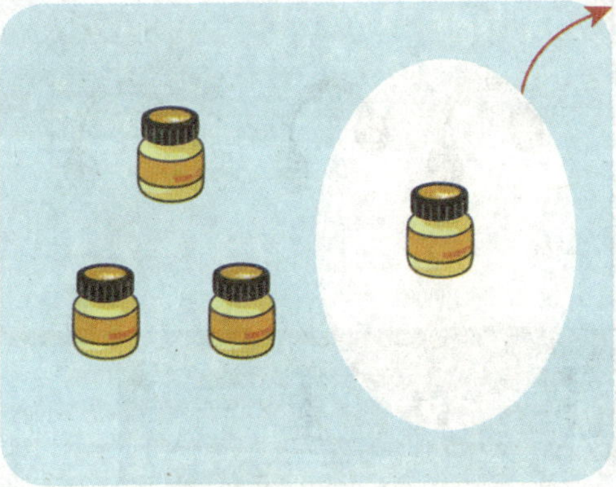

$4 - 1 = \square$

$4 - 3 = \square$

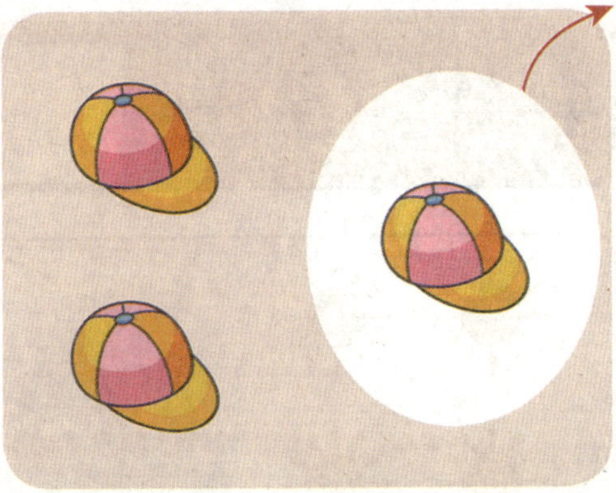

$3 - 1 = \square$

$2 - 1 = \square$

日期：　　月　　日

5 以内的减法

优秀　良好　一般

◎运用减法，在□内写下正确的答案。

2 － 1 ＝ □

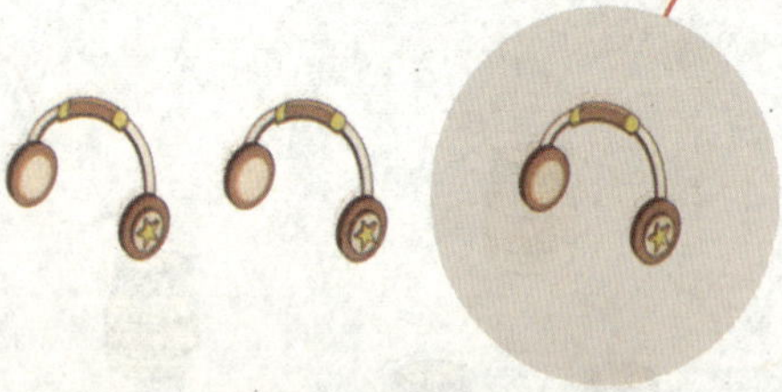

3 － 1 ＝ □

3 － 2 ＝ □

4 － 3 ＝ □

4 － 1 ＝ □

5 － 1 ＝ □

日期： 月 日

5 以内的减法

优秀 良好 一般

◎运用减法，在□内写下正确的答案。

3 − 2 = □

4 − 2 = □

2 − 1 = □

5 − 3 = □

3 − 1 = □

4 − 3 = □

日期： 月 日

5 以内的减法

优秀 良好 一般

◎运用减法，将图片与正确答案用直线连接起来。

5

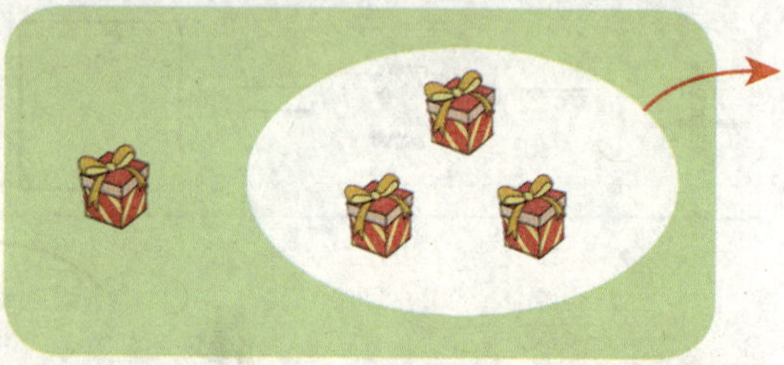

2

3

1

4

日期： 月 日

5以内的减法

优秀 良好 一般

◎运用加法或减法，在□内写下正确的答案。

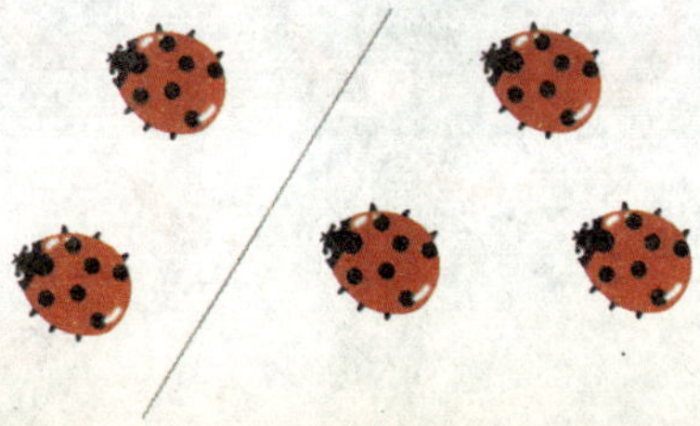

$2+3=\square$

$4-1=\square$

$3+1=\square$　　$3-1=\square$

$2+1=\square$　　$2-1=\square$

$2+2=\square$　　$4-3=\square$

$4+1=\square$　　$5-4=\square$

$3+2=\square$　　$3-2=\square$

$1+1=\square$　　$4-1=\square$

熟悉 11

优秀　良好　一般

◎请将下图中的小鸟以 10 只一组的方式分组，数一数一共有多少只小鸟。

◎请数一数下图中物体的个数，在□内写下正确的答案。

日期：　　　月　　　日

熟悉 12

优秀　良好　一般

◎请将下图中的小猫以 10 只一组的方式分组，数一数一共有多少只小猫。

12

十二 · 拾贰

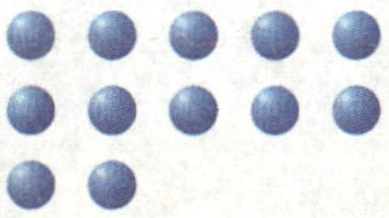

◎数一数下图中水果的数量，并圈出正确的答案。

11　12　13　14　15

11　12　13　14　15

日期: 月 日

熟悉 13

优秀 良好 一般

◎请将下图中的蜻蜓以 10 只一组的方式分组，数一数一共有多少只蜻蜓。

13

十三 · 拾叁

13	13			
13	13	13	13	13
13	13	13	13	13

◎数一数下图中物体的数量，并圈出正确的答案。

11 12 13 14 15

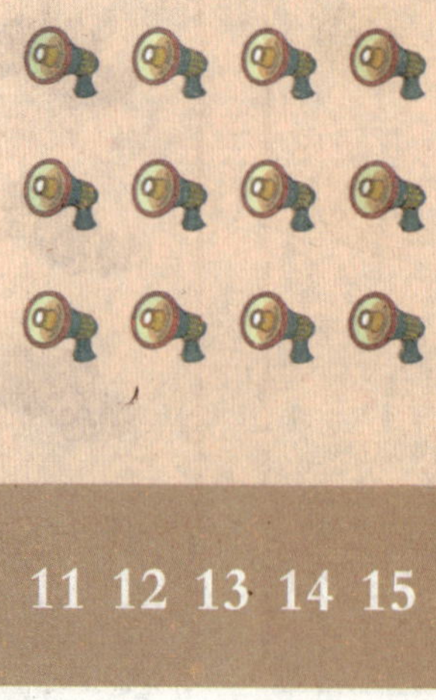

11 12 13 14 15

11 12 13 14 15

熟悉 14

优秀　良好　一般

◎请将下图中的飞机以 10 架一组的方式分组，数一数一共有多少架飞机。

14

十四 · 拾肆

14　14

14　14　14　14　14

◎请数一数下图中水果的数量，并将结果填在○内，圈出个数较多的水果。

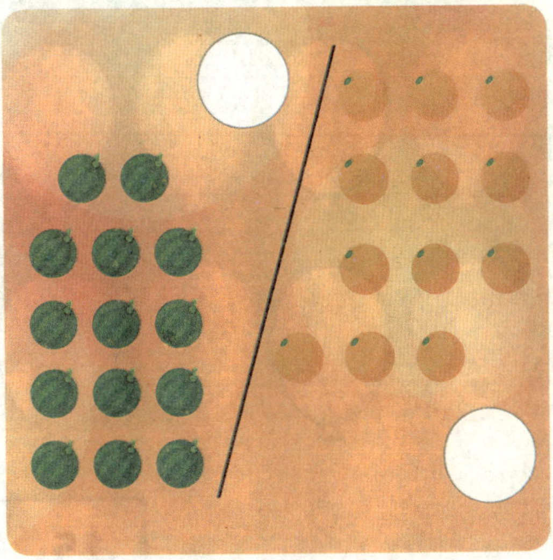

日期： 月 日

熟悉 15

优秀 良好 一般

◎请将下图中的气球以 10 个一组的方式分组，数一数一共有多少个气球。

◎请根据下图中给出的数，给相应个数的气球涂上颜色。

15	拾伍

日期：　　月　　日

熟悉 16

优秀　良好　一般

◎请将下图中的花朵以 10 朵一组的方式分组，数一数一共有多少朵花。

16

十六 · 拾陆

16	16			
16	16	16	16	16
16	16	16	16	16

◎请比较下面两数大小，在○内填上＞、＜或＝号。

12	○	9	15	○	12
3	○	11	8	○	13
13	○	14	16	○	7

日期： 月 日

熟悉 17

优秀 良好 一般

◎请将下图中的苹果以 10 个一组的方式分组，数一数一共有多少个苹果。

◎请圈出比图中物体数目多 1 的数。

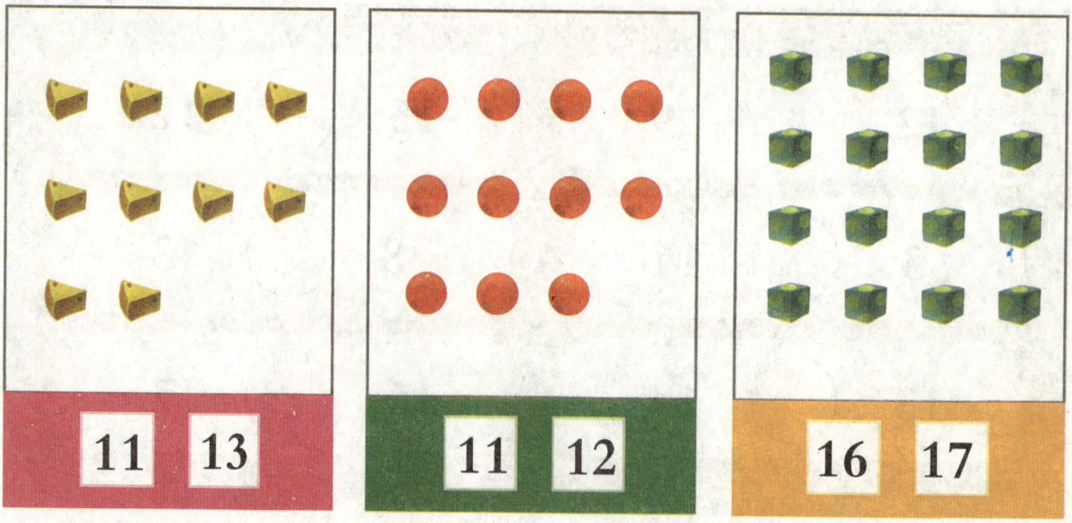

日期：　　　　月　　　　日

熟悉 18

优秀　良好　一般

◎请将下图中的小鸟以 10 只一组的方式分组，数一数一共有多少只小鸟。

◎请圈出比图中物体数目少 1 的数。

11　12

13　14

15　18

日期：　　月　　日

熟悉 19

优秀　良好　一般

◎请将下图中的棒棒糖以 10 只一组的方式分组，数一数一共有多少只棒棒糖。

19

十九 · 拾玖

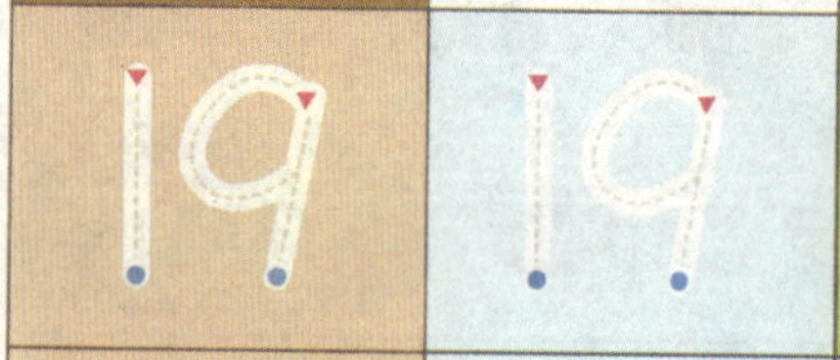

◎请数出下图中乐器的个数，并与相对应的数连接起来。

18

19

日期：　　月　　日

熟悉 20

优秀　良好　一般

◎请将下图中的五角星以 10 个一组的方式分组，数一数一共有多少个五角星。

20

二十 · 贰拾

◎请圈出与图中小棍数目相等的数。

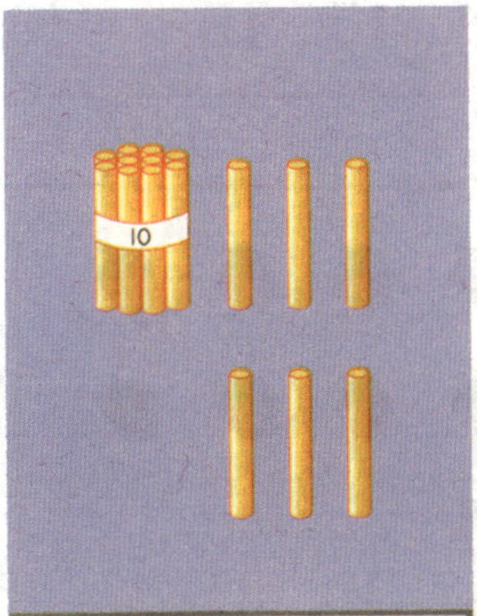

15　16　17

17　18　19

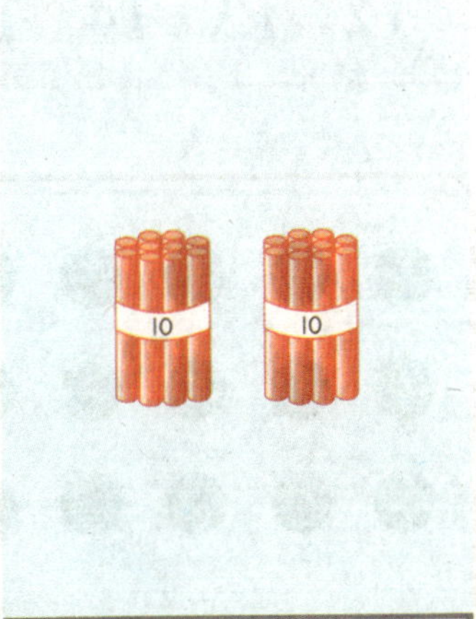

18　19　20

日期：　　月　　日

复习 11 ~ 20

优秀　良好　一般

◎请圈出与图中水果数目相等的数。

11　12　13　14

15　16　17　18

12　13　14　15

15　16　17　18

14　15　16　17

11　12　13　14

日期:　　　月　　　日

复习 11～20

优秀　良好　一般

◎请数出下图中物体的个数，并与其相对应的数连接起来。

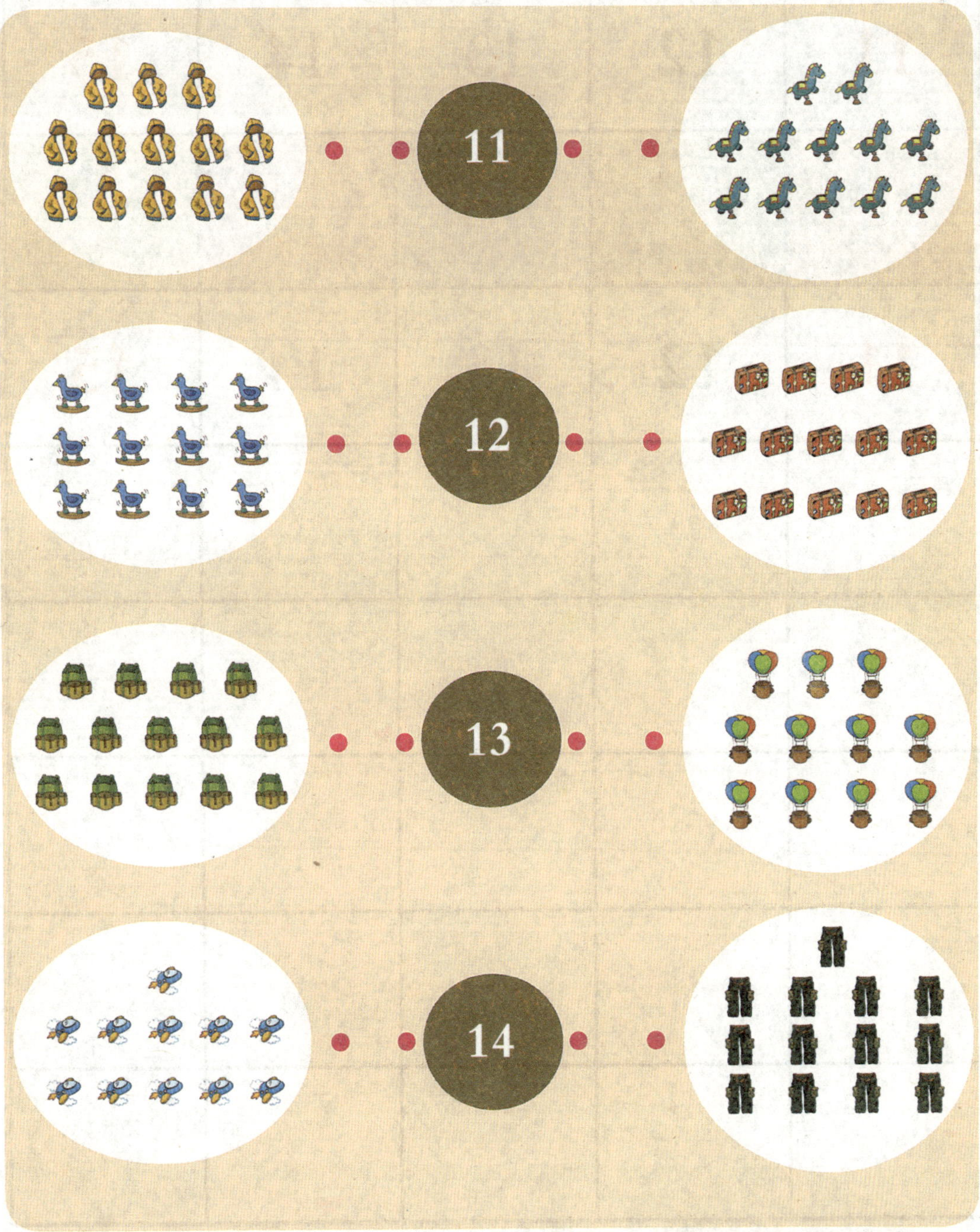

日期：　　月　　日

写写 11 ~ 20

优秀　良好　一般

◎正确写出 11~15。

11	12	13	14	15
11	12	13	14	15
11	12	13	14	15
11	12	13	14	15
11	12	13	14	15

日期：　　月　　日

写写 11 ~ 20

优秀　良好　一般

◎正确写出 16~20。

16	17	18	19	20
16	17	18	19	20
16	17	18	19	20
16	17	18	19	20
16	17	18	19	20

日期： 月 日

复习 11~20

优秀 良好 一般

◎请数出下图中物体的数量，并在□中贴上正确的数字贴纸。

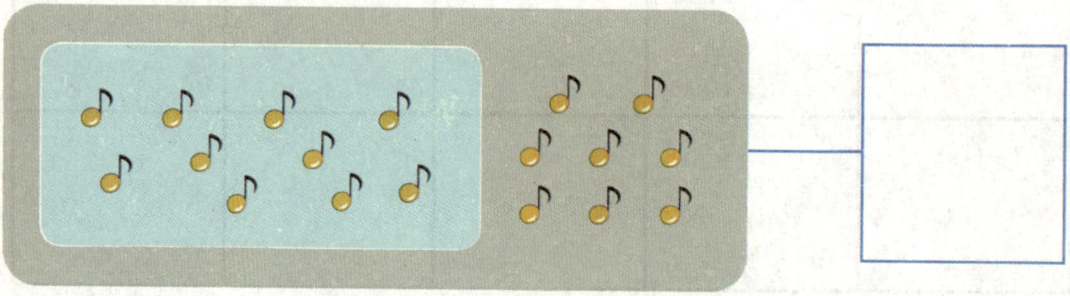

四五快算

（2） 比大小 5 以内的加减法

补充练习

日期： 月 日

数一数

优秀 良好 一般

◎请找出与左图动物数目相同的图片，并用线连接起来。

日期：　　月　　日

数一数

优秀 ┆ 良好 ┆ 一般

◎请圈出与左边数数量相等的动物。

1	
2	
3	
4	
5	

日期：　　月　　日

数一数

优秀 | 良好 | 一般

◎请数出图中物体的个数，将其与对应的表述连接起来。

三 · 叁

四 · 肆

五 · 伍

六 · 陆

数一数

优秀　良好　一般

◎请圈出与图中蔬果数目相等的数。

1　2　3　(4)　5

1　2　3　4　5

3　4　5　6　7

1　2　3　4　5

3　4　5　6　7

1　2　3　4　5

日期： 月 日

配对

优秀 良好 一般

◎请将小动物与小朋友一一对应连接起来，并在数量多的一边的○内涂上颜色。

日期：　　月　　日

复习 1 ~ 10

优秀　良好　一般

◎请在右图中圈出与左图物体数量相同的糖果，并将相对应的数写在□内。

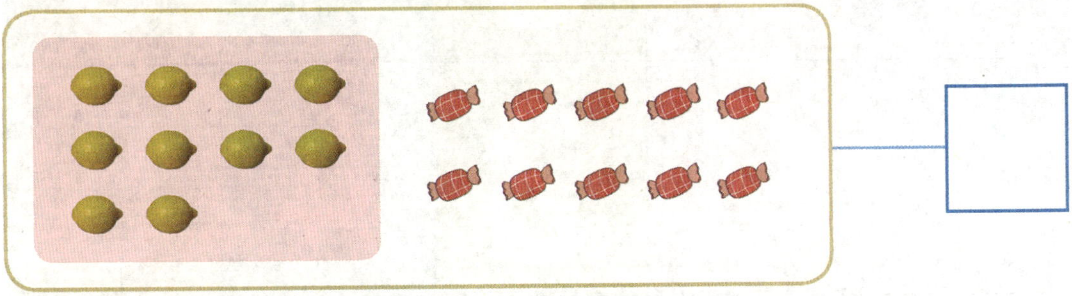

日期：　　月　　日

写写 1 ~ 10

优秀 良好 一般

◎边读边写 1~5。

一	二	三	四	五
1	2	3	4	5
1	2	3	4	5
1	2	3	4	5
1	2	3	4	5

日期：　　月　　日

写写 1 ~ 10

优秀　良好　一般

◎边读边写 6~10。

六	七	八	九	十
6	7	8	9	10
6	7	8	9	10
6	7	8	9	10
6	7	8	9	10

日期：　　　月　　　日

比较数的大小

优秀 良好 一般

◎请认一认中间的数，在左边写下比它小 1 的数，在右边写下比它大 1 的数。

◎请写出中间的数。

比较数的大小

优秀 良好 一般

◎请比较下面两数大小，并圈出较大的数。

◎请比较下面三数大小，并圈出最大的数。

日期：　　月　　日

分组与合并

优秀　良好　一般

◎请将下图中每组物体的数量分别写在□内。

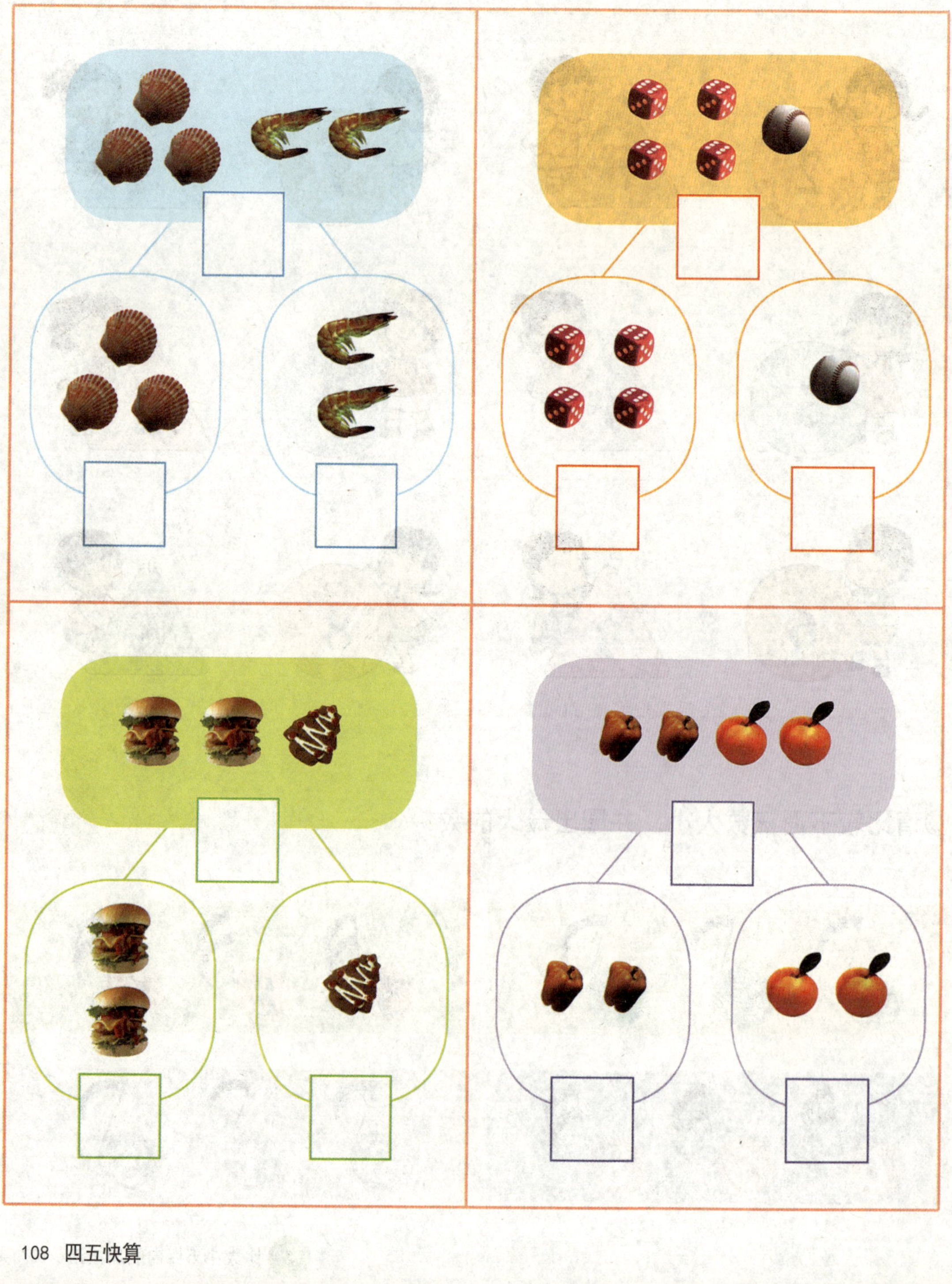

日期：　　月　　日

分组与合并

优秀 良好 一般

◎请将下图中每组物体的数量分别写在□内。

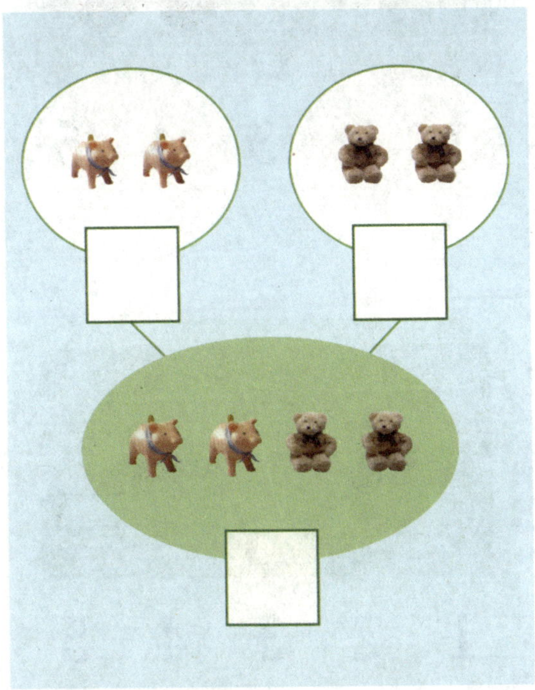

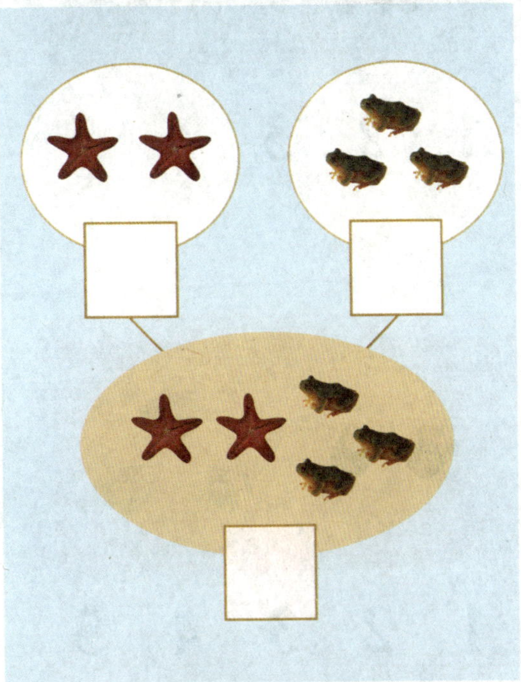

日期：　　月　　日

5以内的加法

优秀　良好　一般

◎请圈出下面两种物品相加所得的数。

1　2　3　4　5

1　2　3　4　5

1　2　3　4　5

1　2　3　4　5

1　2　3　4　5

1　2　3　4　5

日期：　　月　　日

5以内的加法

优秀 良好 一般

◎运用加法，在□内写出正确的答案。

$2 + 3 = \square$

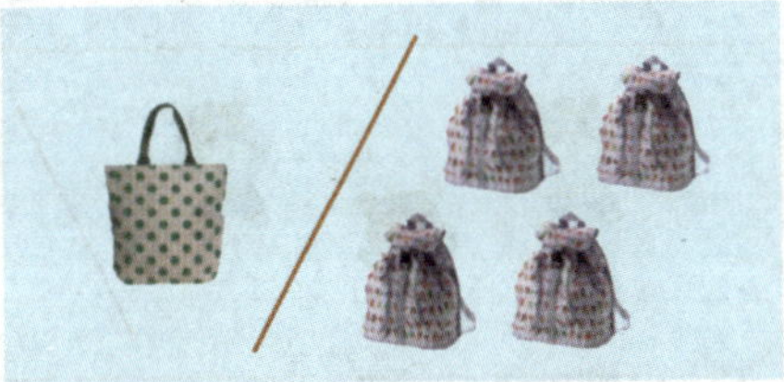

$1 + 4 = \square$

$3 + 1 = \square$

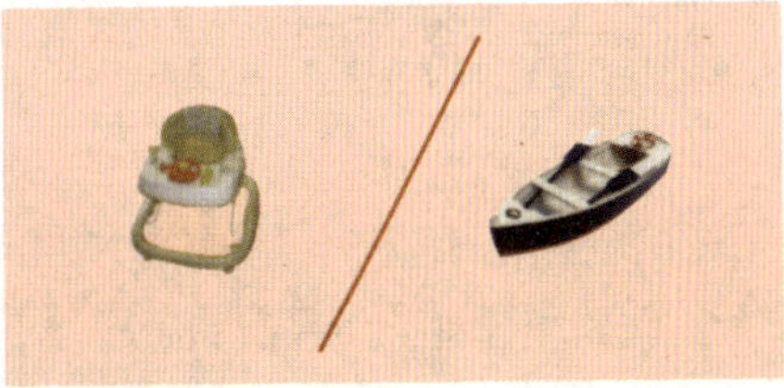

$1 + 1 = \square$

$2 + 2 = \square$

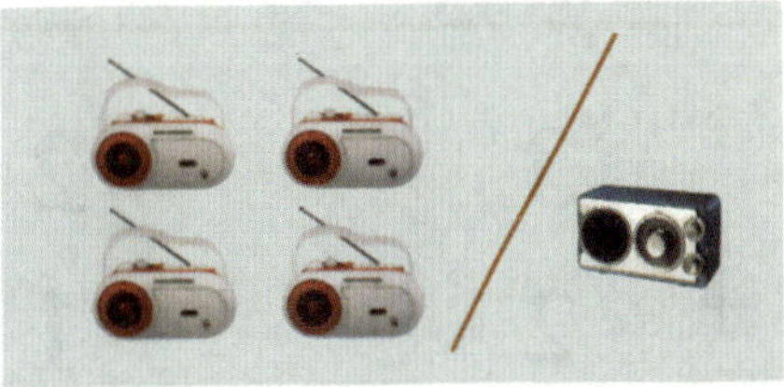

$4 + 1 = \square$

日期：　　月　　日

5以内的加法

优秀 | 良好 | 一般

◎运用加法，在□内写出正确的答案。

$3 + 1 = \square$

$$\begin{array}{r} 3 \\ +\ 1 \\ \hline \square \end{array}$$

$2 + 3 = \square$　　$1 + 2 = \square$

$1 + 1 = \square$　　$2 + 2 = \square$

$4 + 1 = \square$　　$1 + 3 = \square$

$$\begin{array}{r} 3 \\ +\ 2 \\ \hline \square \end{array} \qquad \begin{array}{r} 2 \\ +\ 1 \\ \hline \square \end{array} \qquad \begin{array}{r} 5 \\ +\ 0 \\ \hline \square \end{array} \qquad \begin{array}{r} 1 \\ +\ 4 \\ \hline \square \end{array}$$

日期：　　月　　日

5 以内为加法

优秀　良好　一般

◎运用加法，在□内写出正确的答案。

3 ＋ 1 ＝ □

4 ＋ 1 ＝ □

2 ＋ 2 ＝ □

2 ＋ 3 ＝ □

日期：　　月　　日

5以内的加法

优秀　良好　一般

◎运用加法，在□内写出正确的答案。

$2 + 2 = \square$

$$\begin{array}{r} 2 \\ +\ 2 \\ \hline \square \end{array}$$

$3 + 1 = \square$

$3 + 2 = \square$

$2 + 3 = \square$

$4 + 0 = \square$

$2 + 0 = \square$

$0 + 5 = \square$

$$\begin{array}{r} 1 \\ +\ 2 \\ \hline \square \end{array} \qquad \begin{array}{r} 1 \\ +\ 1 \\ \hline \square \end{array} \qquad \begin{array}{r} 1 \\ +\ 4 \\ \hline \square \end{array} \qquad \begin{array}{r} 2 \\ +\ 3 \\ \hline \square \end{array}$$

日期：　　月　　日

5 以内的加法

优秀　良好　一般

◎仔细读下图，在□内写出正确的答案。

3 ＋ 1 ＝ □

2 ＋ 2 ＝ □

2 ＋ 3 ＝ □

1 ＋ 4 ＝ □

◎运用加法，在□内写出正确的答案。

1 ＋ 3 ＝ □

2 ＋ 2 ＝ □

4 ＋ 0 ＝ □

3 ＋ 2 ＝ □

0 ＋ 3 ＝ □

1 ＋ 2 ＝ □

日期：　　月　　日

5以内的加法

优秀 良好 一般

◎请在□内写出正确的答案。

3 ＋ 2 ＝ 5

1 ＋ 2 ＝ □

2 ＋ 2 ＝ □

4 ＋ 1 ＝ □

2 ＋ 3 ＝ □

1 ＋ 1 ＝ □

日期：　　月　　日

5 以内的减法

优秀 良好 一般

◎运用减法，在□内写出正确的答案。

3 － 2 ＝ □

4 － 3 ＝ □

2 － 1 ＝ □

3 － 1 ＝ □

日期： 月 日

5 以内的减法

优秀 良好 一般

◎运用减法，在□内写出正确的答案。

$5 - 3 = \square$

$$\begin{array}{r} 5 \\ -\ 3 \\ \hline \square \end{array}$$

$5 - 1 = \square$

$4 - 2 = \square$

$3 - 2 = \square$

$2 - 1 = \square$

$3 - 3 = \square$

$4 - 3 = \square$

$$\begin{array}{r} 4 \\ -\ 1 \\ \hline \square \end{array} \qquad \begin{array}{r} 5 \\ -\ 2 \\ \hline \square \end{array} \qquad \begin{array}{r} 5 \\ -\ 4 \\ \hline \square \end{array} \qquad \begin{array}{r} 3 \\ -\ 0 \\ \hline \square \end{array}$$

日期： 月 日

5 以内的减法

优秀 良好 一般

◎仔细读图，在□内写出正确的答案。

4 － 4 ＝ □

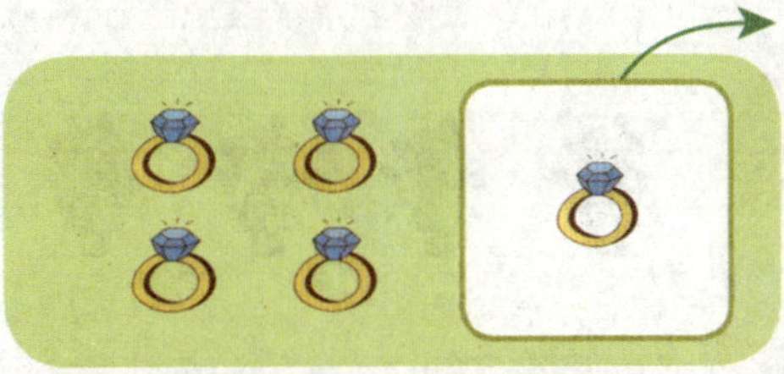

5 － 1 ＝ □

3 － 1 ＝ □

5 － 2 ＝ □

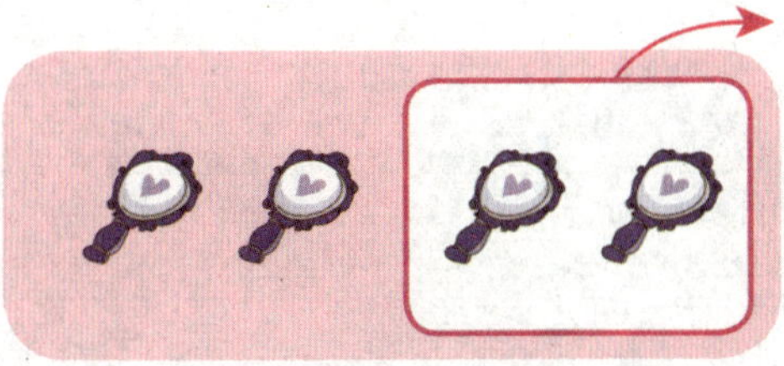

4 － 2 ＝ □

3 － 2 ＝ □

日期： 月 日

5 以内的减法

优秀 良好 一般

◎请在□内写出正确的答案。

5 − 1 = □

$$\begin{array}{r} 5 \\ -\ 1 \\ \hline \square \end{array}$$

4 − 3 = □

4 − 4 = □

5 − 0 = □

5 − 3 = □

2 − 1 = □

5 − 4 = □

$$\begin{array}{r} 3 \\ -\ 1 \\ \hline \square \end{array} \quad \begin{array}{r} 4 \\ -\ 1 \\ \hline \square \end{array} \quad \begin{array}{r} 2 \\ -\ 2 \\ \hline \square \end{array} \quad \begin{array}{r} 3 \\ -\ 2 \\ \hline \square \end{array}$$

日期： 月 日

5以内的减法

优秀 | 良好 | 一般

◎请在□内写出正确的答案。

$3 - 1 = \boxed{2}$

$4 - 1 = \square$

$5 - 3 = \square$

$3 - 2 = \square$

$4 - 2 = \square$

$5 - 4 = \square$

日期：　　月　　日

复习加减法

优秀　良好　一般

◎通过加减法运算，请在结果相同的星星中涂上给出的颜色。

1＋4	2＋2
2－1	4－2

日期：　　月　　日

复习加减法

优秀　良好　一般

◎请在□内写出正确的答案。

$2 + 2 = \square$

$4 - 2 = \square$

$2 + 3 = \square$

$1 + 2 = \square$

$4 + 1 = \square$

$3 + 1 = \square$

$3 - 2 = \square$

$2 - 1 = \square$

$5 - 4 = \square$

$5 - 2 = \square$

$$\begin{array}{r} 2 \\ +\ 1 \\ \hline \square \end{array} \qquad \begin{array}{r} 5 \\ +\ 0 \\ \hline \square \end{array} \qquad \begin{array}{r} 4 \\ -\ 3 \\ \hline \square \end{array} \qquad \begin{array}{r} 5 \\ -\ 3 \\ \hline \square \end{array}$$

日期：　　　月　　　日

写写 11~20

优秀　良好　一般

◎边读边写。

11

十一 · 拾壹

12

十二 · 拾贰

日期：　　月　　日

写写 11~20

优秀　良好　一般

◎边读边写。

13 十三 · 拾叁	13	13	13	13
13	13	13	13	13

14 十四 · 拾肆	14	14	14	14
14	14	14	14	14

日期：　　月　　日

写写 11~20

优秀　良好　一般

◎边读边写。

15 十五·拾伍	15	15	15	15
15	15	15	15	15

16 十六·拾陆	16	16	16	16
16	16	16	16	16

日期：　　月　　日

写写 11~20

优秀　良好　一般

◎边读边写。

17 十七·拾柒	17	17	17	17
17	17	17	17	17

18 十八·拾捌	18	18	18	18
18	18	18	18	18

日期：　　月　　日

写写 11~20

优秀 ⋮ 良好 ⋮ 一般

◎边读边写。

19 十九・拾玖	19	19	19	19
19	19	19	19	19

20 二十・贰拾	20	20	20	20
20	20	20	20	20